du l'imagier père castor

images de :
Martine Bourre
Kersti Chaplet
Marie-Claude Colas
Patricia Franquin
Maryse Graticola
Noëlle Herrenschmidt
Bruno Le Sourd
Marguerite Pasotti
Romain Simon

flammarion

Voici le livre des petits. Il sera le compagnon fidèle de leur première enfance.

Avant deux ans, ils prendront grand plaisir à y reconnaître les choses et les bêtes qui les entourent et à les nommer. Peu à peu, l'Imagier leur apprendra à s'exprimer aisément, aiguisera leur intelligence et enrichira leur vocabulaire.

Puis à travers des jeux toujours nouveaux, il étendra progressivement leurs connaissances, des objets les plus proches aux objets les plus lointains.

Laissez-les, tout d'abord, feuilleter l'Imagier et s'émerveiller des découvertes qu'ils y feront. En présence des images, leurs goûts et leurs intérêts, leurs connaissances et leurs lacunes se révèleront d'une façon souvent saisissante. Vous pourrez alors entreprendre avec eux des promenades à travers l'Imagier, en les accompagnant comme vous le feriez dans une vraie promenade, vous laissant guider par eux, répondant simplement à leurs questions et les encourageant à s'exprimer librement.

L'Imagier est le résultat d'un long travail fondé sur la conviction que les premières images placées sous les yeux des enfants, exercent une influence capitale sur le développement de leur sensibilité, de leur goût, de leur jugement, et qu'on ne saurait apporter trop de soin à leur réalisation.

Les images de l'Imagier ont été montrées en cours d'élaboration à des enfants d'école maternelle, souvent corrigées, quelquefois refaites pour tenir compte des besoins et des possibilités de chaque âge.

Voici quelques jeux parmi beaucoup d'autres; chacun saura les adapter aux intérêts particuliers de son petit enfant, et trouver, au besoin, par ses propres observations, d'autres utilisations qui ne conviennent qu'à lui.

JEUX

On peut poser aux enfants un très petit nombre de questions qui n'auront d'autre but que de les aider à fixer leur attention, à observer l'image, et éventuellement à dire ce qu'ils savent de l'objet ou de l'animal.

— Cherche dans le livre :
- — des bêtes
- — des jouets
- — des meubles
- — des voitures
- — des instruments de musique
- — etc.

— Cherche :
- — les objets rouges, jaunes, verts, etc.
- — les objets en métal, bois, plastique, etc.
- — ce qu'il faut pour écrire, dessiner, etc.
- — ce qu'il faut pour faire sa toilette
- — les jouets que tu as
- — les vêtements que tu as envie de mettre
- — ce que tu aimerais manger le matin, le soir, etc.
- — etc.

— Voici .
- — la poule : où est le poussin ?
- — le lit : ressemble-t-il au tien ?
- — la maison : où est la porte, la fenêtre ?
- — etc.

— Saurais-tu :
  - sauter comme la chèvre ?
  - bêler comme le mouton ?
  - chanter comme le coq ?
  - marcher comme la cane ?
  - etc.

— Qui habite :
  - la niche ?
  - le nid ?
  - la ruche ?
  - etc.

— Qu'y a-t-il dans :
  - le biberon ?
  - l'aquarium ?
  - la bibliothèque ?
  - la salière ?
  - etc.

— A quoi sert :
  - le couteau ?
  - la montre ?
  - la pelle-mécanique ?
  - la grue ?
  - la scie ?
  - etc.

— Qui se sert :
  - de l'aiguille ?
  - du fer à repasser ?
  - de la ligne ?
  - du marteau ?
  - etc.

— Cherche ce qui se mange :
  - sucré ? salé ?
  - cuit ? cru ?
  - chaud ? froid ?

— Cherche des bêtes :
  - qui vivent dans la mer ?
    dans les rivières ?
  - qui vivent dans l'air ? sur la terre ?
  - qui vivent dans les pays froids ?
    dans les pays chauds ?
  - qui sont petites ? moyennes ? grosses ?
  - qui ont 2 pattes ? 4 pattes ? plus ?
  - qui ont des ailes ?
  - qui ont des poils ? des plumes ?
    ni poils ni plumes ?
  - etc.

— Cherche une bête :

- qui court
- qui saute
- qui rampe
- qui vole ?

- qui griffe
- qui pique
- qui mord
- etc.

— Cherche :

- ce qui roule
- ce qui vole
- etc.

- ce qui nage
- ce qui flotte

— Invente :

- une petite histoire avec les 4 images que tu as sous les yeux en ouvrant au hasard l'Imagier.

DEVINETTES

Ayant ouvert l'album devant l'enfant, décrivez sans la désigner ni la nommer, une des quatre images qu'il a sous les yeux :

- c'est une bête qui a 4 pattes, des sabots et de longues oreilles ?
- c'est un fruit jaune et long ?
- c'est une fleur qui pique ?
- c'est un oiseau qui porte un habit noir ?
- etc.

L'enfant reconnaît l'animal ou l'objet et montre l'image en la nommant.

Décrivez, sans la désigner ni la nommer, une image :

- on voit sa couleur rouge à travers le papier transparent ?
- c'est la prison des poissons ?
- une bête qui n'a ni aile ni patte ?
- une bête qui a deux bosses sur le dos ?
- une bête qui a une corne sur le nez ?
- etc.

L'enfant cherche l'image en feuilletant l'Imagier. Bientôt pris au jeu, il posera lui-même des devinettes.

(suite des jeux page 248)

le bébé

le hochet

7

la brassière

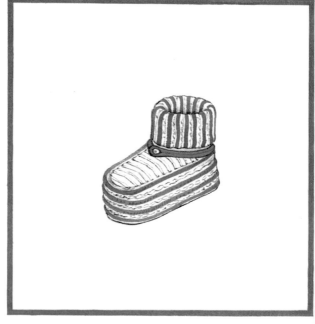

le chausson

la tétine

le biberon

le coquetier

l'œuf

le biscuit

le yaourt

la timbale

le camion

la balle

le cube

le berceau

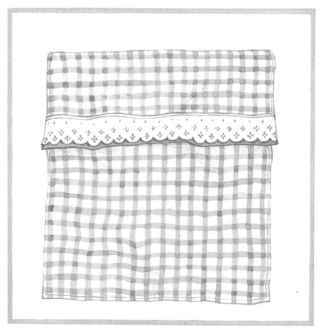

le drap

la couverture

l'oreiller

le peigne

le parc

la brosse à cheveux

le pot de chambre

le pyjama

le landau

le lit

la poussette

19

la poupée

la pelle

l'ours en peluche

le seau

la chemise

la chaussette

la culotte

la chaussure

la robe

le bonnet

le manteau

la moufle

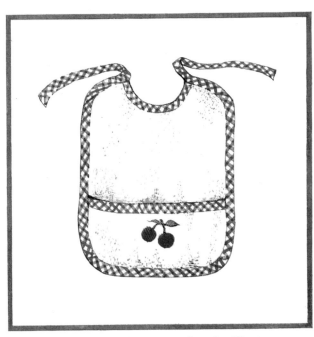

la serviette de bébé

la salopette

le tablier

la pantoufle

l'anorak

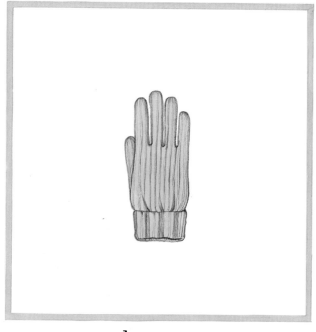

le gant

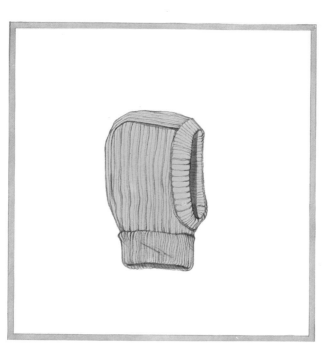

la cagoule

le gilet

la ceinture

le pantalon

les bretelles

la chemise

l'imperméable

la casquette

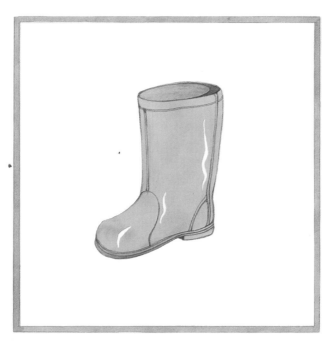

la botte

l'écharpe

la jupe

le pull-over

la culotte courte

le blouson

le mouchoir

la robe de chambre

le slip

la chemise de nuit

la balançoire

le maillot de bain

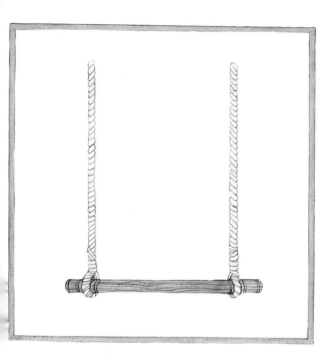

le trapèze

la sandale

le cerf-volant

la quille

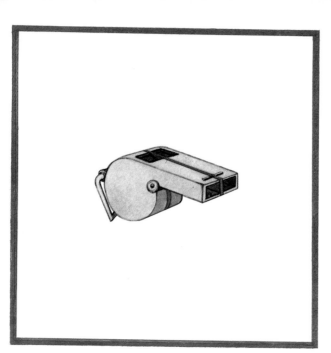

le sifflet

la boule

le patin à roulettes

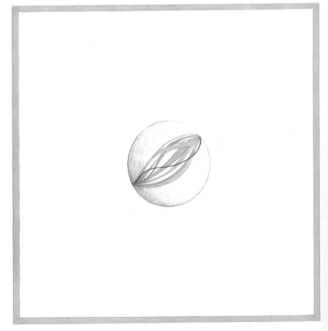

la bille

la corde à sauter

le masque

la marionnette

le ballon

le pantin

le tricycle

le puzzle

l'album

la boîte de peinture

le pinceau

le livre

les lunettes

la bibliothèque

le journal

le un

le piano

le tambourin

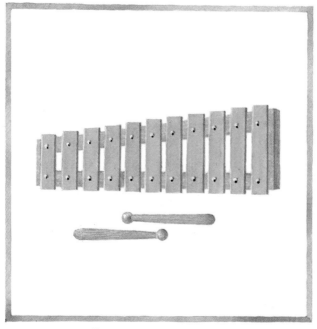

le xylophone

la trompette

la guitare

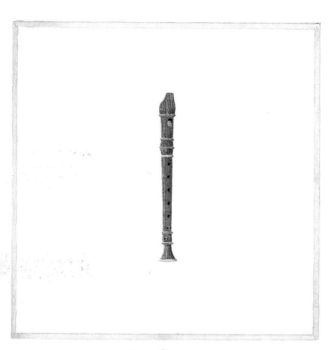

la flûte

le violon

le poste de télévision

le disque

le poste de radio

l'électrophone

le briquet

la cigarette

le cigare

la pipe

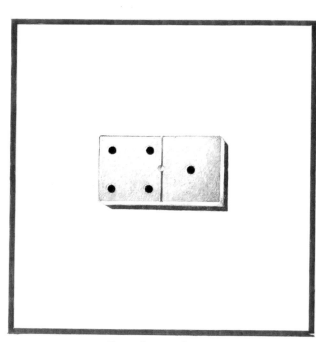

le domino

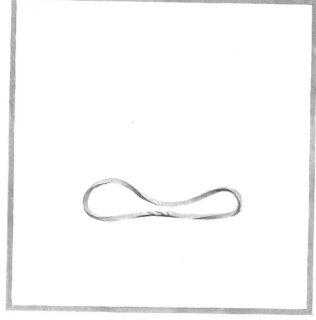

l'élastique

la carte

le timbre

la lettre

le crayon

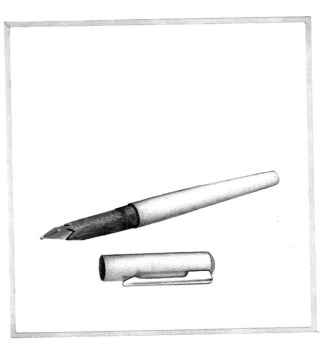

le stylo

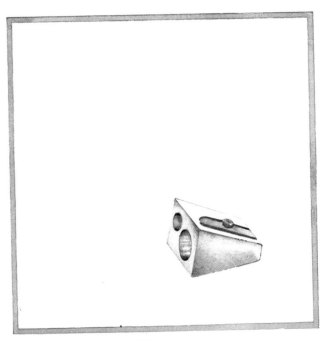

le taille-crayon

le crayon feutre

la gomme

la règle

le canif

la corbeille à papier

le cahier

le cartable

la loupe

la machine à écrire

le téléphone

la montre

le réveil

la clé

la maison

la porte

la fenêtre

69

l'échelle

la brique

le mur

la pioche

71

le radiateur

l'escalier

la brosse à habits

le cintre

le marteau

les tenailles

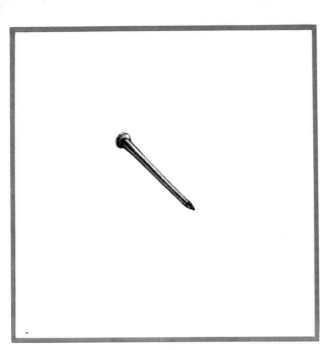

le clou

la vrille

l'établi

la scie

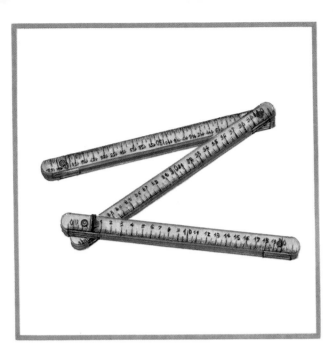

le mètre

la brouette

l'écrou

le tournevis

la clé à molette

la vis

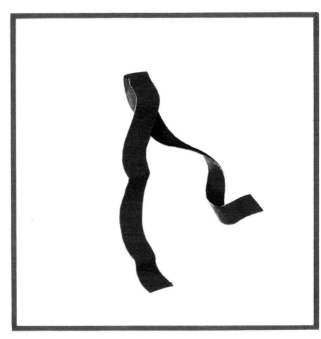

le ruban

la bague

le cœur

le collier

la bobine de fil

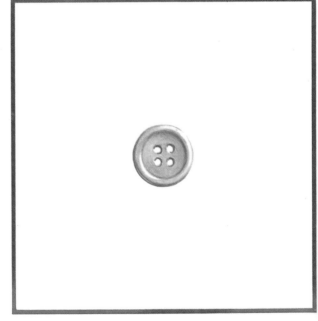

le bouton

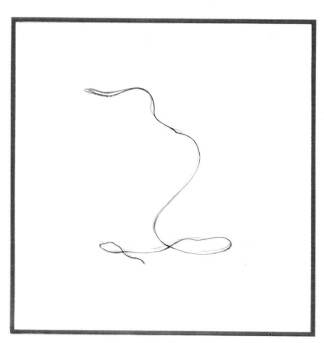

le fil

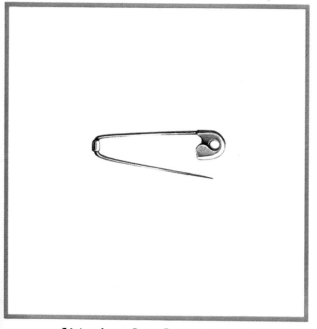

l'épingle de sûreté

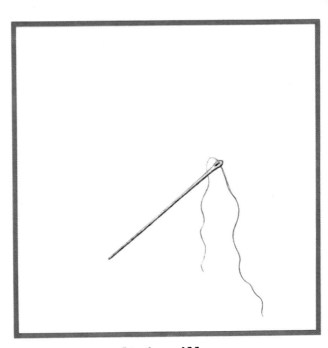

l'aiguille

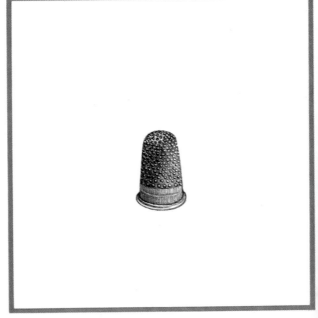

le dé à coudre

la tresse

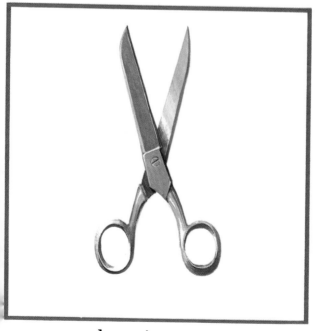

les ciseaux

le fer à repasser

la pince à linge

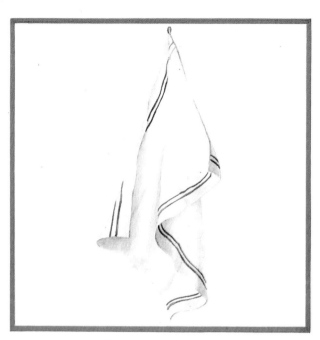

le torchon

la cuvette

l'évier

le réfrigérateur

la cuisinière

la machine à laver

la casserole

le moule

la poêle

le gril

le moulin à café

le sucrier

la cafetière

le bol

la balance

la louche

la bouilloire

la cocotte-minute

l'escabeau

l'aspirateur

le balai

la poubelle

le buffet de cuisine

le nœud

la pendule

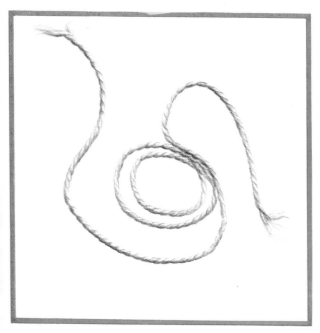

la ficelle

99

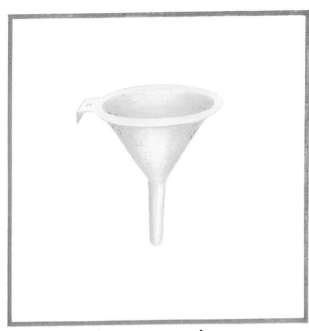

l'entonnoir

la passoire

la bouteille

la râpe

le panier

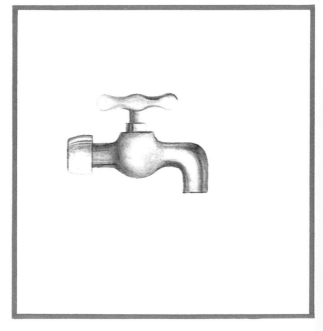

le robinet

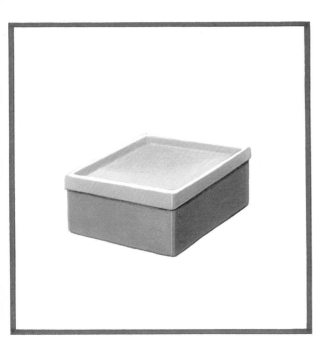

la boîte

le bocal

la salière

le décapsuleur

l'allumette

le tire-bouchon

le bouquet

le vase

l'aquarium

la cage

le tabouret

la chaise

la table

le tapis

le verre

la tasse

la carafe

la théière

la saucière

la soupière

le saladier

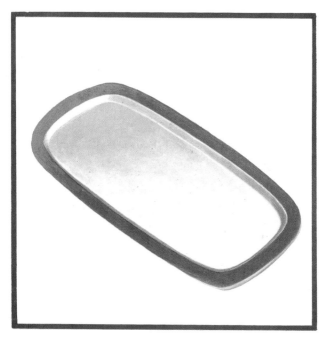

le plat

la douche

le gant de toilette

la baignoire

la serviette de toilette 115

la brosse à ongles

les cabinets

le savon

le lavabo

le pansement

la brosse à dents

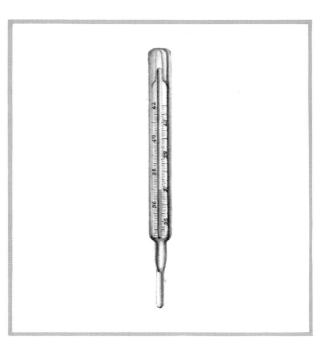

le thermomètre

le dentifrice

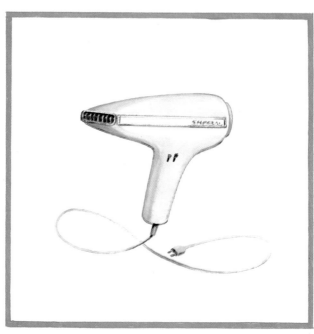

le séchoir à cheveux

la lampe

la glace

l'ampoule

le fauteuil

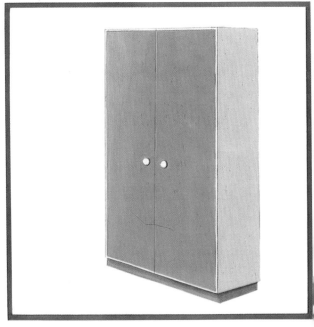

l'armoire

le canapé

la commode

la nappe

la fourchette

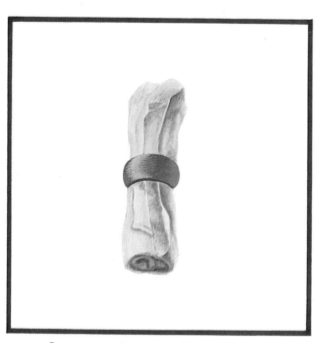

la serviette de table

le couteau

la cuillère

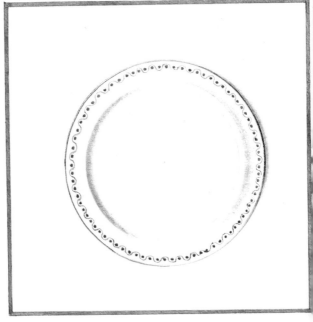

l'assiette

la confiture

la tartine

la tarte

le café

le croissant

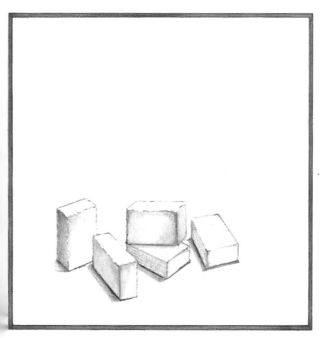

le sucre

le bonbon

le pain

la sucette

le chocolat

la banane

la mandarine

l'orange

la poire

le pâté

le saucisson

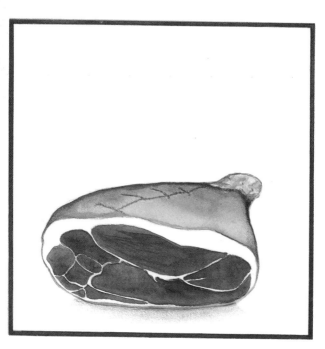

le jambon

le beurre

le poulet

le fromage

la viande

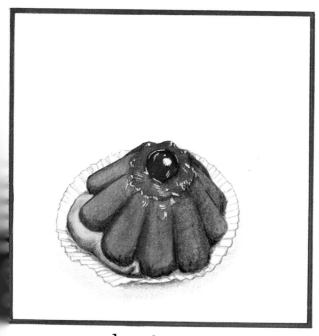

le gâteau

la fraise

l'abricot

la cerise

la pêche

le citron

la crevette

l' huître

le poisson

la framboise

la noix

la groseille

la noisette

la figue

le melon

l'ananas

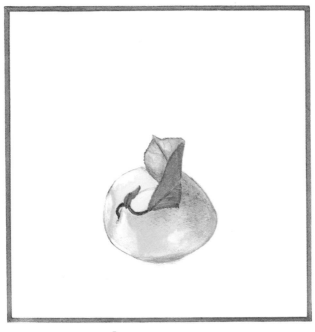

la prune

la pomme

le raisin

le concombre

le radis

la carotte

la salade

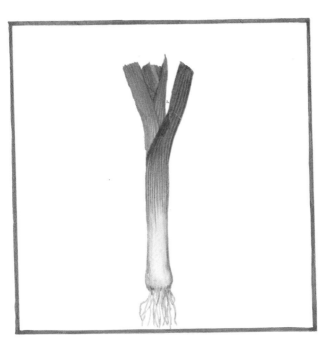

le poireau

la pomme de terre

l'ail

le champignon

l'oignon

l'olive

les petits pois

l'artichaut

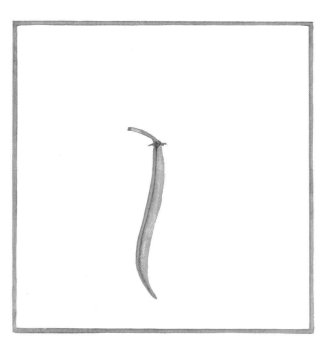

le haricot

la tomate

l'aubergine

le chou

le poivron

le chou-fleur

le persil

la capucine

l'épi de maïs

l'anémone

la jacinthe

le chardon

la tulipe

le cactus

le lys

le narcisse

l'iris

le mimosa

le bleuet

la marguerite

le coquelicot

l'églantine

l'œillet

la pensée

la pâquerette

la rose

le muguet

la violette

le gland

la mûre

167

la châtaigne

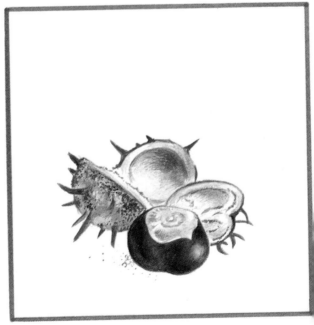

le marron

le nid

la plume

l'escargot

le ver de terre

la limace

le lézard

l'arbre

la bûche

la feuille

la hache

la guêpe

la mouche

le moustique

la fourmi

la pie

l'hirondelle

le corbeau

le moineau

la ruche

la libellule

l'abeille

l'araignée

le hibou

le coucou

le pivert

la vipère

la chenille

la coccinelle

le papillon

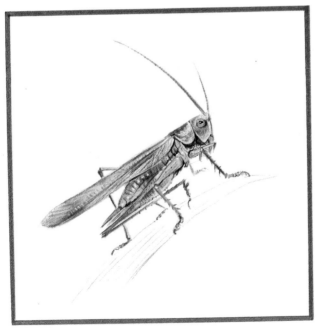

la sauterelle

le crapaud

le rat

la grenouille

la souris

le sapin

le houx

l'écureuil

le hérisson

le zèbre

le rhinocéros

le dromadaire

l'hippopotame

la biche

le castor

le faon

le cerf

le lion

l'éléphant

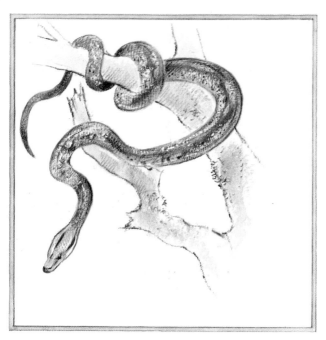

le boa

la girafe

le phoque

le renne

le pingouin

la baleine

le pélican

le singe

le crocodile

le perroquet

le sanglier

le loup

le renard

l'ours

l'autruche

la gazelle

le kangourou

le tigre

la mouette

la tortue

le crabe

le cygne

le chameau

l'aigle

la cigogne

le daim

le lièvre

le faisan

le mouton

le chat

le cheval

l'âne

la vache

le lapin

le chien

l'os

la niche

le banc

la poule

le coq

le poussin

l'oie

le feu

la lune

le soleil

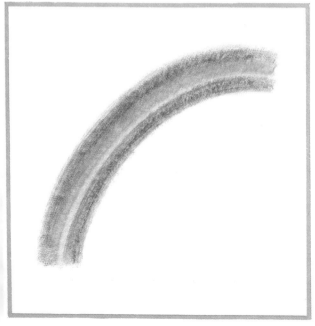

l'arc-en-ciel

le canard

le caneton

la cane

le dindon

la cheminée

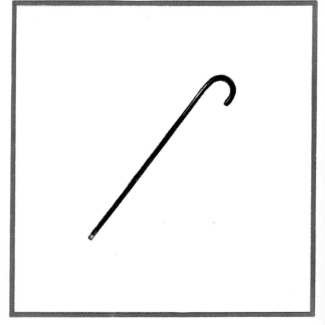

la canne

la fumée

le parapluie

la faux

le râteau

la tondeuse à gazon

la bêche

221

le merle

la chauve-souris

la mésange

le pigeon

la chèvre

le cochon

le sécateur

l'arrosoir

la moissonneuse-batteuse

le tracteur

le bulldozer

la pelle mécanique

la voiture

la moto

le pneu

le casque

l'avion

le parachute

l'hélicoptère

la caravane

le vélomoteur

la bicyclette

la roue

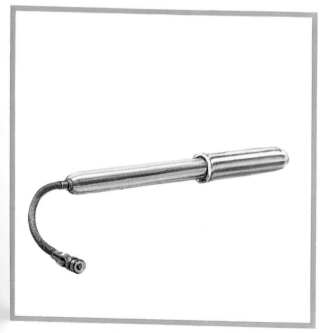

la pompe

233

le wagon

la remorque

l'autobus

le camion-citerne

235

la gourde

la malle

la torche électrique

la valise

le sac à dos

le chapeau

la tente

la cabane

239

le bateau à voiles

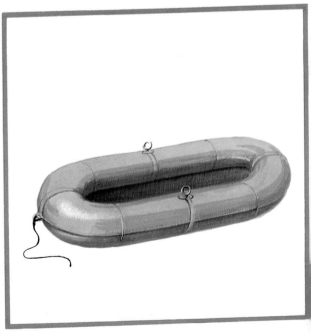

le canot

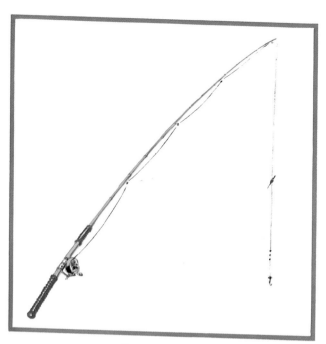

la ligne

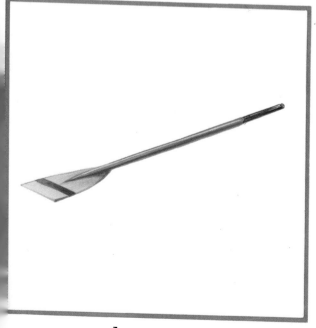

la rame

la luge

l'appareil photo

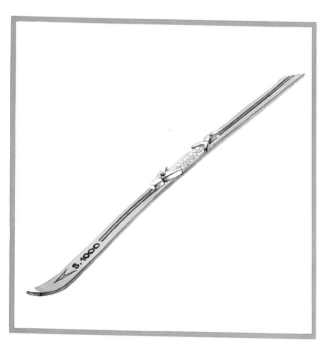

le ski

la boussole

la palissade

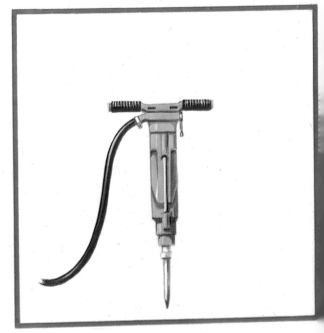

le marteau-piqueur

la chaîne

la grue

la locomotive

le train

JEUX POUR APPRENDRE A LIRE

Le nom et l'article défini imprimés sous chaque image peuvent être l'occasion de nouveaux jeux.

L'enfant peut s'amuser à recopier, à lire ou à composer avec des lettres mobiles, les noms écrits sous les images.

L'IMAGIER DU PÈRE CASTOR
autres présentations

— 12 petits albums à la taille de la main d'un enfant :

un thème par album; 40 pages; 14 × 15

CHEZ LES PETITS

DES BÊTES SAUVAGES

A LA MAISON

BON APPÉTIT

CHEZ LES GRANDS

DANS LES BOIS, DANS LES PRÉS

DES FLEURS ET DES LÉGUMES

A LA CUISINE

CHEZ NOUS IL Y A

JEUX ET PLAISIRS

A LA CAMPAGNE

EN ROUTE

L'IMAGIER EN BOITE

dans un solide coffret de rangement :
480 fiches images (8,8 × 8,8 carton verni)
480 étiquettes reproduisant les noms
un guide des jeux de l'Imagier présentant
toutes sortes de jeux d'identification,
d'associations d'idées, de jeux de lecture.

LISTE ALPHABÉTIQUE

255